To Sue
with best wishes,

Alchemy *of* Water · Alcemi Dŵr

Alchemy *of* Water ◎ Alcemi Dŵr

Tony Curtis English poems *Cerddi Saesneg*   **Grahame Davies** Welsh poems *Cerddi Cymraeg*

Mari Owen Carl Ryan Images *Delweddau*

Gomer

Published in 2013 by Gomer Press, Llandysul, Ceredigion SA44 4JL
www.gomer.co.uk

ISBN 978 1 84851 372 3

A CIP record for this title is available from the British Library

Book and jacket design: Gary Evans

This book is published with the financial support of the Welsh Books Council

Printed and bound in Wales at Gomer Press, Llandysul, Ceredigion

Cyhoeddwyd yn 2013 gan Wasg Gomer, Llandysul, Ceredigion SA44 4JL
www.gomer.co.uk

ISBN 978 1 84851 372 3

Mae cofnod CIP o'r llyfr hwn ar gael gan y Llyfrgell Brydeinig

Dylunio'r llyfr a'r siaced: Gary Evans

Dymuna'r cyhoeddwyr gydnabod cymorth ariannol Cyngor Llyfrau Cymru.

Argraffwyd a rhwymwyd yng Ngwasg Gomer, Llandysul, Ceredigion SA44 4JL

In memory of Rory   Er cof am Rory

Contents

Cynnwys

Introduction

This book celebrates the landscape and people of Wales through poems and photographs. It shows us how water transforms the land, feeds our eyes and illuminates our lives.

We invite you to take a journey with us – from the mountains of Gwynedd where water is caught 'In the land of slate-blue, slate-black', past 'the dark turrets of our embattled land' and 'the lakes of plenty' to the 'field's precipitous plunge' into the sea that girdles us. Some places, some days of weather and light you will recognise, others will be a revelation. You may see the place again, and know it for the first time.

The present work has its roots in the work of the artist Fred Jones who for many years has travelled from his home in Illinois back to his birth place in Llanymynech. I opened Fred's exhibition of water-colours at the National Library of Wales in 2006 and they made a fine record of his travels through the length and breadth of Wales, often in the autumn and winter months and often in wet weather. As part of this process he also sent me some photographs of the locations of his paintings, in response to which I drafted some short poems.

The idea was seeded and when I approached Grahame Davies he agreed that we could work distinctly in our two languages and closely as kindred spirits. Mari Owen and Carl Ryan joined us and with their cameras worked on a new and complete portfolio of forty locations. Some photographs were led by the poems, some poems were in response to their photographs. Many replicated Fred Jones's painting locations.

Grahame and I decided that we would write short poems and that we would respond to the landscape rather than to each other's writing. Of course, some poems are close in theme, mood and implied narrative as they draw on the specific moments captured by the camera. At other times we went on quite individual journeys from the same starting place. In any case, our two languages and their poetic traditions inform our writing: the *englyn*, folk verse, haiku and imagist poem are some of our reference points. Both poets and photographers have sought to bring a freshness of vision to an old country.

It is a challenge to complete a project which involves four artists, each with their own personal relationship to a subject, each with their own aesthetic: I think that readers will agree that this book is a testament to the way that challenge has been answered. Four very individual visions, ably edited by Ceri Wyn Jones at Gomer, have come to fruition in *Alchemy of Water*. Of course, the whole undertaking has been made possible because we all love Cymru, Wales, and know in our hearts and souls that we would be nothing like the artists we are without our roots in this most beautiful of small countries.

Tony Curtis

Rhagymadrodd

Amcan alcemi yw trawsffurfiad. Ceisiodd yr hen draddodiad athronyddol hwn ddefnyddio gwybodaeth, boed yn wyddonol neu'n ddewiniaidd, er mwyn ceisio newid pethau er gwell: metal crai yn troi'n aur; anwybodaeth yn troi'n ddoethineb; marwoldeb yn troi'n anfarwoldeb. Drwy'r broses hon, fe drowyd elfennau cyffredin y bywyd dynol yn hudol.

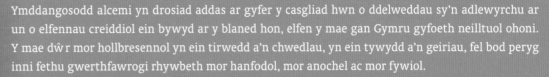

Ymddangosodd alcemi yn drosiad addas ar gyfer y casgliad hwn o ddelweddau sy'n adlewyrchu ar un o elfennau creiddiol ein bywyd ar y blaned hon, elfen y mae gan Gymru gyfoeth neilltuol ohoni. Y mae dŵr mor hollbresennol yn ein tirwedd a'n chwedlau, yn ein tywydd a'n geiriau, fel bod peryg inni fethu gwerthfawrogi rhywbeth mor hanfodol, mor anochel ac mor fywiol.

Dyma ble y mae lluniau Mari Owen a Carl Ryan yn gallu bwrw eu swyn arbennig: gan atal llif y nant, symudiad y cymylau, a threigl amser. Cynigir pob un o'r delweddau trawiadol hyn i'n sylw fel cyfle i adnabod, os yn unig am eiliad, yr harddwch anghredadwy yr ydym, yn rhy aml, yn ei ddiystyru.

Lleoedd ffiniol yw llawer o'r delweddau hyn – lle mae'r môr yn cwrdd â'r lan, lle mae'r nant yn cyffwrdd â'r garreg. Lleolir llawer o'r cerddi ar y rhyngwyneb rhwng symudolrwydd a sadrwydd: lle mae'r afon yn treiddio'r graig; lle mae'r cwmwl yn cuddio'r clogwyn; lle mae'r mynydd yn cilio i'r niwl. Yn y lle ffiniol, pan fo'r ymwybyddiaeth ar drothwy, bryd hynny daw'r weledigaeth. Cyfyd Morwyn Llyn y Fan Fach yn ddigymell o'r dyfroedd, pan fo'r gwyliwr yn unig ac yn llonydd, wrth ymyl y llechwedd a'r llyn.

Y mae gweithio gyda Tony, Mari a Carl ar y delweddau hyn, a chyda Fred Jones cyn hynny, wedi amlygu llawer dull o weld. Wrth wynebu'r un deunydd gweledol, gall unrhyw ddau lenor, neu unrhyw ddau berson am hynny, ymateb mewn amrywiaeth o ffyrdd. Yn fwyaf amlwg, dyna ffaith syml ein bod yn ysgrifennu mewn dwy iaith wahanol. Ers canrifoedd, ac mewn dulliau dirifedi dyddiol, fe ddehonglir realaeth byd a bywyd Cymru drwy lensiau ein dwy brif iaith, ill dwy â'u trysorau a'u hadleisiau, rhai a rennir weithiau, ond rhai sydd, yn aml, yn gyfangwbl ac yn ogoneddus wahanol.

Ymhob unigolyn, hefyd, ceir amryfal ymatebion posib. Felly y mae'r cerddi yma yn tynnu ar amrywiaeth o ffurfiau a chyfeiriadaeth. Y mae rhai yn adleisio'n fwriadol ffurf a geiriad emynau; llunnir eraill yng ngwisg gyfoes y wers rydd; y mae rhai yn benthyg pennill y Rubaiyat, a ffurfiwyd yn nhirwedd boeth Persia ond a ymgartrefodd ers tro byd yn yr ynysoedd glawog hyn. Efallai'r rhai mwyaf nodweddiadol yw'r rheiny sydd yn ymdebygu yn eu harddull a'u cynnwys at benillion gwerin – y ffurf ddirodres honno sy'n cyfleu mewn ffordd dywyllodrus o syml y math o wirioneddau sydd yn rhy bwysig i'w cuddio mewn addurniadau cymhleth.

Wrth roi'r casgliad hwn at ei gilydd, gobeithiwn y bydd y cyfuniad o ddelwedd a dychymyg, o lun a llên, yn dangos sut y gellir gweld, bob amser, drawsffurfio'r deunydd mwyaf syml a mwyaf cyffredin yn drysor amhrisiadwy.

Grahame Davies

There is no corner
water cannot turn,
no darkness
water cannot lighten.

Dyma ddoethineb dŵr:
canfod ei lwybr
heb ymdrech, ymhobman.

Ffordd a drefnwyd drwy'r mynyddoedd,
ffordd i chwalu niwl y wawr,
ffordd gordeddog awn ar hyd-ddi
at y môr maddeugar mawr.

A road reluctantly allowed by rock.
You drive through gaps in the morning mist
to the promise of sea.
The sun is a silver talisman.

In the land of slate-blue, slate-black,
slate-brown, slate-green,
these hands of low cloud
bearing a platter of light.

Yng ngwlad y llechen las a'r llechen frown,
ar lethrau'r llechen werdd, a'r llechen ddu,
ar ddiwrnod pan fo'r awyr lwyd yn drwm,
mae'r glaw yn addo'i arian byw i mi.

Llunio llynnoedd mae'r ddaear,
er mwyn i harddwch gael syllu
i'w wyneb ei hun.

The last lingering, low mist
on a morning when the lake
will drink the sky.

Tymor digonedd y llynnoedd:
apêl y dyfrliw i'r dorf.

The season of the lakes of plenty:
a palette of blue, ochre, purple, silver.

Pistyll Rhaeadr's
peaty water plummets
into a pool that counsels calm.

Diferion dirifedi
yn rhaeadru am eiliadau
i'r llonyddwch mawr.

Tragwyddoldeb yn treiddio
drwy'r ffurfafen unffurf.
I lygedyn o Lyn Tegid,
ennyd ariannaidd o arwyddocâd.

Cloud splinters forth over Bala –
God's grandeur of lent light –
Gerard Manley Hopkins,
Cecil B. de Mille.

As morning's mist
lifts and flies,
water and light contrive
to double the world.

Plyga'r lan gan ddyblu'r byd,
yn brawf Rorschach.
Gallwn fentro ei ddarllen.
Ond pwy a'i dehongla?

Rasal o raeadr
yn ysu
i eillio'r coed estron
o ruddiau'r bryn.

Water driving its own weight
is a silver knife
between the neatly-parted
latter-day plantations.

The Falls stitch ribbons, lace
into (sometimes) sheets,
(sometimes) shrouds.

'Ewynnol' a drodd yn 'Wennol', dro.
A'r 'Wennol' drodd yn 'Swallow'.
Ond er gwneud un ac un yn dri,
deil y dŵr i ewynnu.

One of those houses you'd imagine
living in: a blanket of trees, a scarf of mist,
your neighbours the mountains.
And each morning a garden of water.

Carneddau fy ngorffennol
oll yn ddiogel o'm hôl.
A'm heddiw fel y glaslyn.
Rhyw ddydd, fe gaf fyw fel hyn.

As your Nain would say,
'Just enough blue
to stitch a sailor's suit.'

Pa les rhyw unffurfiaeth las
a'r llwydiau'n lliwio'n palas?

Smooth as slate
the Straits at Bangor.
Wales cleft from Wales,
then Telford-bridged.

Er bod agendor y môr i'w weld
yn hollti'r tir yn ddau,
mae'r creigiau cyn-Gambriaidd cudd
yn un o dan y Fenai.

Llanw oer islaw yn codi,
cwmwl du uwchben yn gwasgu,
dewis gweld, er gwaetha'r cwbl,
bod goleuni ar y gorwel.

The suck and pull of shingle
by a tide subtle and lacy.
On the horizon a whale and her calf:
you wait for them to move.

Blue over
silver over
black.
This evening Mark Rothko.

Yng ngwlad y machludoedd
trown farwolaeth yn gampwaith,
o hir arfer.
Ni feistrolwyd gwersi gwawrio.
Eto.

Pentre Ifan's pall bearers
process with the sharp slab held high.
In the stones' shadows
dew settles like tears.

Cludant hen gistfaen galed,
ein hanes ers y cynfyd.
Er i bob gwlith ei thrymhau
fe'i dygant, er y dagrau.

The way our lives lay siege
to all the blue remembered castles
of our defeated history.

Uwch magwyrydd Edward Frenin,
urddo'r awyr las mewn ermin.

Pan fyddo'r caddug ar y dydd yn cau,
af at y lli.
Ai diwedd byd yw hwn, neu ddechrau bae,
ni wyddwn i.
Wrth ddianc dolur y dolenni dur,
deisyfaf seren ar fy mordaith hir.

Dawn over Swansea Bay:
the wet sand is filling with sky.
The boat's chains are a rich and heavy necklace.

Those rust-ochre links will tie you to this place
whatever the rise of the tide,
whatever the blue-grey weather brings,
whenever the sea sings in these chains.

The Abbey and its corrugated country cousin.
Dissolution: night screams, angled flames,
swords on stones.
All our shelters are temporary.

Y rhwd yn treulio'r sgubor fesul tymor,
y gwyrddni'n cuddio adfail cartref Duw.
Trwy glwysty a thrwy glos fe gariai'r awel
gerddoriaeth drist a thawel dynol-ryw.

Rain and the ghosts of rain
conjure the mountain.
Everything will disappear.

Ysbrydion glaw yn hawlio'r gweundir.
Yn y glyn,
cynnau lampau'r ceir.

In that hut long Winter nights
he would have heard the wind carving the stones,
the rain gathering from those peaks
and singing its way to the sea.

Beth yw bywyd mwy na hyn?
Gwylio, o loches ein waliau,
y gaeaf yn cerfio'r creigiau,
a sŵn y gwynt yn cwyno, yn canu.

The green-aged stone wall
and rusting wire: what are they keeping out,
or in? The thorn tree in Winter
hangs its Christmas lights of rain.

Cau allan neu gau mewn – yr un yw'r gwaith:
yng nghaeau'r canrifoedd geirwon,
codi'r tramgwyddau a'u cydio, faen wrth faen.
A chodi mur. A'i gadw.

Rhwng irwellt ac Iwerydd,
rhwng traethell a thonnau,
rhwng heulwen a heli,
mae annwn i minnau.

The Irish Sea plays its old game –
breathing in, breathing out,
sending its salt-shining
tribute to the field's precipitous plunge.

Rho imi irder y rhedyn.
Rho imi amynedd y meini.
Rho imi ddoethineb yr afon:
ei llonydd, a'i llif.

The way water defines
the fall and the lie of the land.
Was ever fern and leaf so green,
light so blue, speed such a brief silver?

The light weighs on Llyn Padarn's beaten silver shield
laid down. This lake's crumbled castle, softened with age,
held Owain Goch, chained by his brother Llywelyn,
who some days was allowed to walk by the lake and breathe.

Er bod y cymylau'n ddiddagrau uwchben,
ac er bod y bryniau bradwrus
yn llywio lluoedd fel llifddyfroedd
at gastell tywod,
er hyn i gyd, sefyll.

Yn chwalfa'r ucheldiroedd,
ac afreol eu dyfroedd,
dyma argaeau ystyr, yn tystio
i'n greddf, yn wyneb afreswm
i drefnu'r hyn a allwn.

Unless you master the natural jigsaw of stone,
placing the stone kisses, cheek to cheek,
you cannot square the wet hills into sheep pastures,
angle against the stream's riots, the mist's confusions.

Cyrchwn lwybrau'r llechweddau
rhag ofn yr anghofiwn
mai rhwng dau wacter mawr y tramwywn
a bod yr erchwyn o hyd wrth ymyl.

At this height, slow is safe:
in the relentless westerlies
the road's endless curves are polished by rain,
fences sag, and even the stones turn to rust.

This is the season of water:
what was bound by earth resurrects itself.
In the flood's speed the trees' reflections
lack certainty, can fix nothing.

Absennol neu bresennol,
stormus, sych;
o wyneb y tymhorau, dŵr yw'r drych.

Y ffenestr fwa fawr oedd ffrâm eu byd
rhwng eangderau oer a chulni clyd,
nes agor drws Aberhenfelen yr henfro
a gadael yr aelwyd i'r gwynt ei chrwydro.

The exact placement of brick and slate.
The exuberance of that curved window. So why
is this place left to the rain?
Look to the children who left with their lives,
the 747s so far above these clouds.

These are the waters on which we float
our angers, our dreams. The hills' rains
stream down with a weight of memory.

The falling waters replenish them —
nightmares, deep hurts
beneath the reservoirs.

Er bod dyfroedd doeau'n cronni,
er bod storom heddiw'n corddi,
er mai dilyw fydd yfory,
bro a breuddwyd ni chânt foddi.

Perffeithrwydd anghymesur
llechwedd a llyn
mewn hafaliad disgyrchiant.

And this too is the skin of our land.
It wrinkles in youth and age,
a furrowed brow under the sun, palmed by the wind.

Water stretches to heal clefts,
grows to fill the land's spaces, pores,
is firm and cold in its depth.

Er i'r afon afradlon
garlamu dros ei glennydd
a thaflu'i harian dros y wlad,
ei sbloet sydd yn ysblennydd.

Beyond the hedges and gardens
the river has laid siege to our resolve:
now we know what is beneath us,
the grey and pewter levels we will return to.

Water is the undoing of it all,
the carving of rocks, the transport of these branches:
a tree laid low, now lodged on this ledge.

Until the next storm, the next movement,
we have this intervention, collage,
this site-specific sculpture.

Mae'r afon, megis amser,
yn cyrchu'r cefnfor maith
ac nid â dim i'r dyfroedd
sy'n dathlu at y daith.

Daw'r niwloedd o dro i dro
rhag i'r llygad ragdybio
fod hawl i harddwch ganddo.

This is the alchemy of water:
from the floating forms of low cloud, mist,
are beaten these pendants of silver.

Rho imi orwedd am byth fel hyn,
corlan gymdogol ar lawr y glyn
a gwlith yn bendithio fy medd dan yr yw.
Ond, yn dy drugaredd, ddim eto, Dduw.

Here the dead are held
and memorialised by slate
turned blue-grey pewter by the rain.

The lop-sided yew flies its flag over them
and past the stone compound the river
runs brimful of life.

The nuclear yesterday
has these blockhouse headstones
and crucified pylons.

In this cold war at Trawsfynydd
there is only the fusion of mist and rain.

Yn ein ceyrydd concrit,
holltwn yr atom a rhyddhau'r tân,
heb feddu'r ddawn erioed
i hollti nos a chyfnos, niwl a glaw,
a rhyddhau'r tragwyddol sydd rhwng
wedyn a nawr.

Bridges defy water,
are defined by water.

Streams and waterfalls are the emissaries
of sky and mountain.

In the politics of rivers
negotiations are ongoing.

Fel pob croesfan, mae'n gysegredig:
man cwrdd, man gadael, man cyfnewid,
a'r llif islaw i'n hatgoffa
mai am unwaith yn unig
y mae pob gweithred.

Wrth geisio'r llwybr uchel,
gwyliwch rhag maglau'r pyllau:
y mae modd cwympo drwyddynt
i'r nefoedd.

On the gravel of the path
the puddles grow
then die in the sun.

They wait for a child to run
and kick his wellingtoned way through,
scattering diamonds, both polished and rough.

Yma daw'r llwybr i ben,
ffin a ffens, traeth ac ewyn;
y *ne plus ultra* nad oes modd ei osgoi.

Here the dead are fenced above the shore.
They have ridden out the storm.

The ebb and flow of the green-grey sea
needs an age to weather their names,
an age to tilt a memory.

On the coldest of days the dead
are stiff with purpose:
this serviceable stump-stake
from which the snow sculpts its geometry.

Er i rew dur ei rwydo,
ni ddelir dŵr ond dros dro.